HIPNOSIS PARA LA AUTOESTIMA

Se confidente en cualquier situación y toma control de tu vida a través de la hipnosis y las afirmaciones positivas. Alcanza tu verdadero potencial y logra tus metas. Self-Esteem Hypnosis(Spanish Edition)

Escrito por:

Elliott J. Power

Este documento está orientado a proveer información exacta y confiable con relación al tópico y tema a tratar. La publicación es vendida con la idea de que el publicista no sea requerido para rendir cuentas, oficialmente permitido, o cualquier otro servicio cualificado. Si algún consejo es necesario, legal o profesional, un individuo practicante en la profesión debe ser consultado.

De una Declaración de Principios la cual fue aceptada y aprobada equitativamente por un Comité del Colegio de Abogados de Estados Unidos y un Comité de la Asociación de Editores.

La información provista aquí es verdadera y consistente, en cualquier responsabilidad, en términos de inatención o relacionados, por cualquier uso o abuso de cualquier política, proceso o direcciones contenidas dentro es responsabilidad solidaria y absoluta del lector. Bajo ninguna circunstancia será sostenida responsabilidad legal o culpa contra el editor, por cualquier reparación, daño o perdida monetaria debido a información aquí contenida, directa o indirectamente.

Los respectivos autores son propietarios de los derechos de publicación, no así el editor.

La información aquí contenida es ofrecida únicamente con propósitos informativos, y como tal, es universal. La presentación de la información es sin contrato o algún tipo de garantía de seguro.

Las marcas registradas usadas son sin consentimiento alguno, y la publicación de las marcas registrados son sin permiso o sin respaldo por los propietarios de las mismas. Todas las marcas registradas y marcas contenidas en este libro son ofrecidas únicamente con propósitos de claridad y son poseídas por los propietarios de las mismas, no afiliados con este documento.

Gracias otra vez por escoger este libro, asegúrate de dejar una breve reseña en Audible si lo disfrutas. Realmente me gustaría escuchar lo que piensas al respecto.

INTRODUCCIÓN

Una de las preguntas con la que los psicólogos y los consejeros de varios tipos terminan lidiando a menudo estos días es la consulta sobre la mejor manera de mejorar la estima. Una parte significativa de los individuos que ofrecen este tema de conversación inicial serán, en general, los individuos que han llegado a la conclusión de que la vasta mayoría de la infelicidad en sus vidas es derivada de la baja autoestima. Estos buscan encontrar como pueden mejorar su autoestima y consecuentemente conquistar el duelo en sus vidas causado por la baja autoestima, expandiendo así la felicidad en sus vidas.

La relación entre la baja autoestima y la infelicidad

La asunción de que la infelicidad es causada por la baja autoestima es una que necesitamos manejar, antes de continuar con la conversación del método más eficiente para mejorar la autoestima e incrementar la felicidad propia. Nosotros, en primer lugar, necesitamos manejar la consulta al respecto de si los hechos demuestran que la infelicidad es causada por la baja autoestima. Mientras que muchas personas lo han reconocido (que la infelicidad es causada por la baja autoestima) algunos individuos escogen desafiar esta creencia. Dado que esta no es una conversación sobre la relación entre la baja autoestima y la infelicidad, no nos demoraremos en esa cuestión.

Sin duda, un montón de infelicidad en nuestras vidas es causada por nuestra preocupación sobre lo que los demás piensan de nosotros. Esta preocupación (sobre la impresión que tienen otros de nosotros) será identificada junto con nuestra autoestima. En otras palabras, mientras más baja sea nuestra autoestima, mayor será el estrés sobre las impresiones que otros tienen de nosotros. Alternativamente, mientras más alto nuestro grado de autoestima, menor o más bajo será nuestro estrés sobre las opiniones de los demás.

La autoestima y el éxito

Se han hecho esfuerzos para relacionar la alta autoestima con el éxito en diferentes áreas, y parece ser que, aunque la alta autoestima no brinda niveles más significativos de felicidad, si trae algún grado de éxito. Esta es la situación particularmente en cosas como negocios, donde el éxito descansa sobre las conexiones o los contactos, un área donde individuos con alta autoestima serán, en general, más exitosos.

La clave definitiva para desarrollar la autoestima

Si tener alta autoestima puede ser tan útil, muchas personas preguntan, ¿cómo pueden comenzar a mejorar sus niveles de autoestima? También, aprendimos que solo hay una forma en la que puedes cambiar tu entendimiento, y subsecuentemente incrementar tu felicidad.

La forma definitiva en la cual puedes desarrollar autoestima e incrementar tu felicidad es comenzar a considerarte a ti mismo como un "compañero querido". La autoestima es fundamentalmente un problema de la relación que tienes contigo mismo. Si no te respetas a ti mismo, si siempre estas recriminándote a ti mismo mentalmente, si no te tomas aprecio, es difícil tener alta autoestima. Comienza a mirarte a ti mismo como un querido compañero por dentro y por fuera. ¡Ese es el punto principal, lo demás son detalles! Les echaremos un ojo a esos detalles más adelante.

Autoafirmación como método para desarrollar la autoestima

Una de las formas en la cual puedes considerarte a ti mismo como una compañía querida, y, en consecuencia, mejorar tu autoestima es al afirmarte a ti mismo. Los compañeros se apoyan unos a otros, no al usar las supuestas confirmaciones, sino a través de su constante dialogo. De esta forma, si tu constante intercambio es autoafirmante, en lugar de autocrítico, definitivamente desarrollaras alta autoestima. Para cambiarte a ti mismo de acuerdo a eso, necesitas cambiar tus creencias arraigadas, lo que puede ser algo desafiante, sin embargo, las ventajas merecen el esfuerzo.

Mantenerte firme sobre las promesas como método para desarrollar la autoestima

Otra forma en la que puedes considerarte a ti mismo como un compañero querido, y así, mejorar tu autoestima, sería al permanecer firme sobre las promesas que haces. Los compañeros mantienen las promesas que se hacen a los otros. En esta situación única, en su mayor parte, involucra seguir con tus acciones. Si intentas lograr algo, y no lo haces, tu autoestima toma un giro.

Relee esa sentencia. La asunción de que para desarrollar autoestima debes mirar tus acciones y hacer un intento de ejecutarlas, implica, por definición, que, para desarrollarte a ti mismo, tienes que crear autodisciplina. No, en realidad no, no simplemente al perdonarte a ti mismo en suficiente, en su lugar, debes hacer uso de la autodisciplina: donde haces un intento de analizar tus acciones, darte cuenta que hacerlas te pondrá en un nivel más alto de consideración propia (lo cual, en otras palabras, es desarrollar la autoestima).

Hay unos cuantos especialistas que creen que puedes mejorar tu autoestima significativamente al hacer planes razonables y objetivarlos (y no romper constantemente tus promesas a ti mismo).

La bondad hacia uno mismo como un método para desarrollar la autoestima

Ser bondadoso contigo mismo es otra forma por la cual puedes cambiar tu mentalidad e incrementar tu felicidad. Esto está relacionado con trabajar el cómo te tratas a ti mismo cuando fallas. Combina con el punto que miramos recientemente sobre no romper tus promesas. Así que, cuando, desafortunadamente, rompes tus promesas para contigo mismo, entonces puedes defenderte a ti mismo.

La autoaceptación como un método para desarrollar la autoestima

Aceptarte a ti mismo como eres es otra forma en la cual puedes desarrollar autoestima e incrementar tu felicidad. Ten en cuenta, hay una forma de pensar la cual sostiene el punto de vista de que el cuerpo es el "yo". Así que, cuando reconoces tu cuerpo completamente (similarmente a por lo que vale, lo cual puedes hacer al usar afirmaciones apropiadas) y lo transmites con satisfacción, tu autoestima recibe un impulso considerable.

Conclusión

Todo dicho y hecho; se resume a considerarte a ti mismo como una compañía apreciada y a diario (en pensamientos, palabras y hechos). Esa es la forma principal en la cual puedes definitivamente y verdaderamente desarrollar autoestima, y como resultado, incrementar tu felicidad.

¿QUÉ ES LA AUTOESTIMA?

La autoestima es una combinación de valor, autorrespeto, consideración propia y autoconfianza. Es una idea mental usada para referirse a como un individuo se siente sobre sí mismo. Alta autoestima indica un alto valor del "yo" mientras que la baja autoestima indica lo opuesto.

Abraham Maslow acepta que el bienestar mental depende de un equilibrio, y es concebido cuando la esencia de un individuo es reconocida, apreciada y es vista por otros y por sí mismo. Mientras que por Jack Canfield: "La autoestima depende de sentirse en forma y sentirse adorable".

La autoestima y el autorretrato están interrelacionadas. El termino autorretrato es usado para retratar la imagen mental de un individuo sobre sí mismo. El autorretrato indica la autoestima. Durante nuestra juventud, creamos imágenes de nosotros mismos: cual es nuestra identidad, las cosas de las que somos capaces, como lucimos y cuáles pueden ser nuestras cualidades y desventajas. Nuestros encuentros y nuestras conversaciones con otros harán estas imágenes mentales más incrustadas dentro de nosotros. Después de un tiempo, estos autorretratos psicológicos construirán nuestra idea de autoestima. La autoestima es sobre sentimientos que creamos dentro de nosotros debido a elementos externos. La autoestima es sobre la cantidad de reconocimiento que sentimos, lo apreciados que nos sentimos y los valorados que nos sentimos por otros y la cantidad en que nos reconocemos, amamos y creemos en nosotros mismos. Es una mezcla de estos dos factores la que forma nuestra autoestima.

Comúnmente, la autoestima es caracterizada por cómo nos vemos a nosotros mismos y nuestros atributos. Para Stanley Coppersmith, un especialista líder en el campo, es "juicio de valor individual que es comunicado en la mentalidad que el individuo sostiene de sí mismo".

La alta autoestima implica que tenemos suficiente certeza como para no requerir la aprobación de otros.

¿Cómo es desarrollada?

Pensamientos, relaciones y encuentros forman nuestra autoestima. La autoestima comienza a tomar forma tan pronto como entramos en la adolescencia, y los elementos que la influencia incluyen nuestras reflexiones propias y creencias, como otros responden, encuentros en la escuela, en el trabajo y en nuestra comunidad, inhabilidad, enfermedad, injuria, cultura, religión e incluso nuestro trabajo y estatus en el mundo. Baja autoestima es formada cuando el individuo que posee las características que valora. Tristemente, las personas con baja autoestima, como regla general, si tienen las características que valoran; sin embargo, no pueden verlas porque han cambiado su percepción de sí mismo o su autorretrato. El Dr.

Michael Miller, director editorial en la cabeza del "Harvard Mental Health Letter", dice "Casi seguramente, la autoestima vendrá de autocomprensión precisa, valoración de las propias aptitudes certificables y satisfacción de ayudar a otras personas". Personas cercanas a ti, por ejemplo, guardianes, familiares, compañeros, parejas, instructores y diferentes contactos y tu comunicación con estos individuos, afectará grandemente tu autoestima. La autoestima es construida en tu juventud y se desarrolla durante la pubertad avanzada. Cuando sea que el individuo entienda sus sentimientos de estar a cargo de su destino, comienzan a definir la autoestima. Las relaciones familiares asumen una parte importante en construir nuestra autoestima. Es el cómo somos tratados por otros lo que nos muestra si somos importantes. Los sentimientos de ser tomado en cuenta y valorado formarán nuestro grado de autoestima. Esto está conectado con aceptar una aprobación de otros. Sin embargo, siendo dependientes de los encuentros tempranos en la vida y su posición social, las mujeres frecuentemente buscan más aprobación que los hombres. Para la edad de 16 años, un mayor número de mujeres jóvenes que de hombres comienzan a reportar baja autoestima. Como indica una investigación de Dove, "La verdad real sobre la belleza", 7 de cada 10 mujeres jóvenes acepten que no están a la altura de su apariencia, trabajo en la escuela y relaciones.

¿Qué tan importante es la autoestima?

Según Brian Tracy: "Tu autoestima es presumiblemente la parte más importante de tu personalidad. Establece y predice tu presentación en casi todo lo que haces. Tu grado de autoestima es tu grado de bienestar mental. Para rendir al máximo y sentirte excelente contigo mismo, debes estar en una condición constante de autoestima".

La autoestima es vital para los individuos ya que les da una mayor habilidad para enfrentar la vida. El valor propio empoderará al individuo a tener un mayor optimismo y tener más energía para alcanzar sus objetivos. Las personas con baja autoestima se sienten extraordinariamente mediocres y quizá no rindan bien bajo circunstancias difíciles. Estos desarrollan la creencia de que nadie los reconocerá o de que no le gustarán a nadie. Por otra parte, individuos con buena autoestima pueden disfrutar su salud y sentirse bien consigo mismos. Pueden hacer cosas más productivamente y pueden sentirse complacidos con sus logros y sobre sí mismos.

Sentirnos bien sobre nosotros mismos nos empoderará a apreciar la vida en una medida cada vez mayor. Sentir que somos reconocidos, disfrutados y adorados implica que tenemos alta autoestima, y este sentimiento será reflejado en nuestras relaciones.

Una de las razones principales de relaciones rotas en la baja autoestima.

Crear autoestima nos empodera a incrementar la felicidad en nuestras vidas. Es este sentimiento que te guía a aceptar que mereces felicidad. Es vital para entender esta creencia, la creencia de que verdaderamente tienes el derecho a ser feliz y a estar satisfecho, porque con esta convicción puede acercarte a los individuos con respeto; y también con generosidad, como resultado de formar relaciones productivas y evitando dañar a otros. Tener un autorrespeto mínimo puede guiar a los individuos a desanimarse, a subestimar sus talentos o a sufrir eventos y relaciones dañinas. Numerosos casos de estudio muestran que la baja autoestima guía a presión, pesar y nervios. Investigaciones indican una correlación definitiva entre autoestima saludable y resultados positivos, incluyendo felicidad, humildad, resiliencia y optimismo. La autoestima asume un rol en casi todo los que haces.

La Organización Mundial de la Salud sugiere en "Previniendo el Suicidio" distribuido en el 2000, que reforzar la autoestima es esencial para proteger a los niños y adolescentes contra el dolor mental y la tristeza, empoderándolos para que se adapten lo suficiente a los eventos de la vida angustiantes y desafiantes. En el libro "Alcoholismo. Un falso estigma: La baja autoestima es la verdadera enfermedad" (1996), Candito reporta "Los individuos que se refieren a sí mismos como "bebedores empedernidos reformados" demuestra que la baja autoestima es el problema más significativo en sus vidas. La baja autoestima es un problema real y el verdadero problema. Sin embargo, el licor es un efecto secundario de la enfermedad de un borracho". Según lo indicado por Gleen R. Schiraldi, quien es doctorado escritor de "El libro de Ejercicios de Autoestima" y educador en la Escuela de Salud Pública de la Universidad de Maryland: "Aquellos con gran autoestima pueden, considerando todas las cosas, evaluar genuinamente sus cualidades, desventajas y potencial". De acuerdo con Madelyn Swift, nuestro bienestar general descansa en nuestra autoestima. Disfrutarnos a nosotros mismos y sentirnos en forma es la base en la cual un bienestar apasionado descansa".

Una autoestima solida te empodera a reconocerte y reconocer tu vida como debería ser.

¿Podrías ser capaz de desarrollar una autoestima saludable?

La autoestima no es estable. Una investigación por la Asociación Americana de Psicología mostró que la autoestima es más baja entre jóvenes adultos, e incremente a medida que nos hacemos adultos y alcanza su punto máximo a los 60 años, no mucho antes de comenzar a decaer. Los especialistas de la investigación estimaron la autoestima de 3.617 adultos estadounidenses. En general, las mujeres tuvieron más baja autoestima que los hombres durante una parte significativa de la adultez, sin embargo, los niveles de autoestima convergieron para las personas en sus 80 y 90 años. Las personas de color y los blancos tuvieron niveles de autoestima comparable durante su adultez juvenil y mediana edad. El líder de la investigación, Ulrich Orth, doctorado, estableció que "la autoestima es identificada con mejor bienestar, menos conducta criminal, más bajos niveles de miseria y, generalmente hablando, mayor éxito en la vida. Por esto, es importante volverse familiar con como la autoestima del individuo normal cambia con el tiempo".

La autoestima es una expresión que ha llegado a significar una variedad de cosas. De alguna forma u otra, la autoestima es un concepto que se expresa por sí mismo, aun así, se ha vuelto también una idea debatible con varias implicaciones. Nos damos cuenta que la autoestima es algo esencial que tener, y nos han dicho que es concebible tener un montón de autoestima. También hay numerosas formas de autoestima de las que hablamos que podrían confundirnos cuando intentamos caracterizar la autoestima; cosas como autoconfianza, valor propio, autoafirmación, amor propio, autoaceptación, empatía propia y obligación propia.

"Confiar en nuestra psique propia y darnos cuenta que somos merecedores de felicidad es simplemente la encarnación de la estima". (Nathaniel Branden).

Para nuestra inspiración, caracterizaremos la autoestima usando tres de mis definiciones preferidas que aprendí de estudiar a Nathaniel Branden:

La autoconfianza es la solidez de la psique.

La autoestima es el sistema inmune de la consciencia.

La autoestima es simplemente la notoriedad que tenemos.

Así como la salud del cuerpo es un resultado o impacto de muchas causas relacionadas, así es con la autoestima. Si deseamos construir nuestro bienestar, podemos hacerlo al trabajar en ello en muchas formas; al trabajar en nuestro régimen alimenticio, nuestras actividades, nuestra mentalidad, nuestra condición. Así también es con la autoestima. Si deseamos construir nuestra autoestima, podemos hacer al trabajar en cosas que añadan a ello.

En cuanto a la relación de estos, existen diferentes ángulos para nosotros. Esta la parte de nosotros que piensa, siente y soporta, y está la parte de nosotros que "presencia" o "juzga" los pensamientos, sentimientos y conductas. Esto es evidente en la autoimagen, y también existe el Espíritu o al Alma. Podrías considerarlo como el "yo" (y minúscula) y el "Yo" (Y mayúscula). El "yo" es el genuino "Dios en nosotros", nuestra naturaleza divida y potencial, nuestro ser eterno que existió antes de nuestra introducción al mundo y vivirá después de que nos vayamos. El "Yo" es la manifestación física o superficial que es impermanente o transitoria. Es el cuerpo físico, su realidad son los cinco sentidos y los sentimientos, las contemplaciones y las convicciones que fluyen a través. Tanto el "yo" y el "Yo" son piezas esenciales de lo que es nuestra identidad. Sea como sea, para este propósito, la autoestima puede ser vista como la relación de ambos.

Sin una autoestima fuerte desde el principio, el trabajo realizado en algunas otras zonas de desarrollo individual o más profundo finalmente no durará. Si la autoestima va a funcionar, necesitará existir motivación para mejorar o avanzar por cualquier medio. Si no nos sentimos fundamentalmente valiosos y merecedores de felicidad y crecimiento, no importa lo que hagamos, podemos dañarnos a nosotros mismos, así que nuestra realidad externa coordina nuestra realidad interna de lo que aceptamos y merecemos. Así como no necesitamos estar en una excelente forma física para comenzar un programa de actividades, no debemos tener una autoestima demasiado saludable para comenzar un programa de desarrollo individual o posterior.

Las dos principales partes de la autoestima

Hay dos partes importantes de la autoestima:

1. **El valor propio:** Sentirse digno de estar contento.
2. **La confianza propia:** Sentirse positivo sobre nuestra capacidad de pensar, adaptarnos y ajustarnos a las dificultades de la vida.

Cubriremos ambas de estas dos partes significativas en el artículo porque estas merecen una comprensión completa. Podemos ver que los dos sujetos son importantes, deberíamos sentirnos tanto valiosos como listos para trabajar en esta vida y descubrir felicidad y significado. Estas están cortadas de la misma ropa. Sin sentirte valioso, no importa que tan capaz podamos pensar que somos, ralentizaremos nuestro mejoramiento. Sin sentirnos capaces, independientemente de lo éticos que seamos, nos mantendremos a distancia de las actividades esperadas para alcanzar nuestro desarrollo, y nos sentiremos sobrecargados y estancados mientras vemos la vida pasar. A medida que incrementamos nuestro valor propio, incrementamos nuestra impresión de nuestras habilidades. A medida que incrementamos nuestra posición al tomar las dificultades y conquistarlas, también incrementamos nuestra percepción de nuestro valor. Así que, los diferentes lados funcionan tanto como un patrón tranquilo de poder edificante hacia la superación personal, o, un ciclo sin fin, descendiendo hacia la miseria y el estancamiento. Simplemente date cuenta que independientemente de que actitud tengas ahora, puedes darle vuelta, lo cual asumo, es una buena noticia.

Beneficios de la autoconfianza

Mírate a ti mismo y podrás sin dificultad identificar un problema afectando tu autoconfianza. Puedes diferenciar a una persona que se conduce a sí mismo con duda de una persona que solo es tímida y nerviosa. Esto se muestra en la apariencia física de un individuo. Un individuo que se mantiene erguido y confidente es sin dudas alguien seguro de sí mismo. Es lo opuesto a un individuo que apenas podría mantener su cabeza erguida mientras pasea, esto debido a su falta de confianza.

Hay ventajas incuestionables de tener autoconfianza. Además de estar listo para hacer lo que sea que necesiten hacer, un individuo seguro de sí mismo obtiene un montón de beneficios, los cuales incluye:

Rendimiento mejorado

Una autoconfianza saludable es suficiente para empujar competidores, oradores públicos, animadores, gente de negocios y cualquier cuya vida incluya comunicarse con individuos para estar en su mejor punto. Todos ellos entienden la esencia de la autoconfianza con el propósito de alcanzar su mejor rendimiento y superar los obstáculos puesto en su camino. Así que, para los individuos que les falta confianza, como tener autoconfianza es algo en lo que necesitan trabajar si quiere hacer progresos en lo que hacen.

Comodidad social

La aceptación social, el reconocimiento y la aprobación son vitales para la existencia de un individuo. Esto es logrado más fácilmente por individuos que son seguros de sí mismos. Su fe en sí mismos provoca que estén cada vez más relajados en circunstancias sociales. No están preocupados por estar con otros y conociendo nuevos individuos en cualquier reunión social. Un grado razonable de autoconfianza mejora el nivel de comodidad de la persona, prestando poca atención a quien este a su alrededor. Están confidentes sobre sus vidas y sus futuros, lo cual se muestra en su contacto con otros. Sus cualidades positivas atraen a los individuos a ellos. Su entusiasmo es contagioso y afecta a las personas a su alrededor.

Bienestar físico

La autoconfianza positiva es un indicativo de buena salud mental. El Centro de Información Nacional de Salud Mental reporta que el apoyo a la autoconfianza en la adolescencia puede ayudar a formar sus caracteres a medida que crecen. Para guardianes que tienen la opción de mostrar a sus niños las mejores maneras para ganar autoconfianza en su crecimiento mental y años de desarrollo, sus niños rendirán, en general, mejor en sus estudios, lo harán bien en los deportes y en ocasiones sociales. A medida que crecen, los niños pueden soportar la presión de los compañeros y amigos y hacer elecciones educadas, esto si los padres alientan su autoconfianza.

Construir tu autoconfianza es algo que no es muy difícil de hacer, y te beneficiará en el logro de las cosas que están intentando atraer en tu vida. Es saludable querer autoconfianza, sin embargo, numerosos individuos necesitarán la autoconfianza. Este artículo es para los individuos que necesitan autoconfianza y necesitan desarrollarla. Hay ventajas definitivas por tener alta autoestima y la confianza que viene por hacer esto, por ejemplo, obtener una mejor posición, hacer y tener mejores relaciones con otros, más control de tus finanzas, y, en general, mejores sentimientos de salud y valor propio.

El plan es una forma esencial de lidiar con la construcción de la confianza en uno mismo, lo que idealmente te dará algo de energía a tus esperanzas de hacer este cambio en su razonamiento y así ganar confianza progresivamente.

Construir autoconfianza comienza con conocerse a sí mismo a un nivel más profundo. Familiarizarte contigo mismo puede ser un ejercicio te toda la vida que requiera una rutina para seguir con ello. La etapa uno es familiarizarte contigo mismo a un nivel más profundo. Pregúntate o intenta conectar con la parte de ti que parece saber porque piensas que eres inadecuado con respecto a la autoconfianza. Algo en el pasado puede estar influenciando tu autoestima en la actualidad. Requiere algo de perseverancia encontrar una solución obvia al porque te encuentras con falta de autoconfianza, y este es el primer paso para intentar desarrollar tu confianza. Entender porque te está faltando autoestima es un paso esencia inicial, y descifrar como olvidar las escenas del pasado en tu vida será, sin duda alguna, un paso hacia construir tu autoconfianza para mañana.

Lo siguiente es una continuación de el paso inicial; con algo de esfuerzo y control, puedes comenzar a construir tu autoestima. Por control, me refiero a al intercambio interno que tienes contigo mismo. Requiere algo de poder considerarte a ti mismo y los encuentros que has tenido durante tu vida, que causan tu falta de autoconfianza. A medida que prácticas y aplicas esto en tu vida, lentamente tu autoestima y confianza se alinearán con tu visión ideal para mejorar como te sientes sobre ti mismo. Hay un montón de ayudas y guías disponibles hoy en día que pueden ayudarte con tu anhelo de construir tu confianza y hacerte tener más autoconfianza.

Honestamente, es tan simple como eso, descifrar como conseguir hacer las cosas por ti mismo, así como otras personas que añaden a la sociedad y a los demás a un nivel individual, construirá tu confianza. Tal vez tengas que dar un paso fuera de tu zona de confort, sin embargo, al hacer eso, fortificarás tu desarrollo hacia la construcción de tu autoconfianza. Un caso de esto sería algo como ayudar a tu vecino anciano con algunas tareas exteriores como limpiar el patio o limpiar las hierbas. Puedes aprender de cursos específicos, poniendo recursos en artículos, por ejemplo, libros y escuchar a individuos, como Louise Hay y Wayne Dyer quienes trabajan en cambiar vidas. Solo por seguir individuos motivacionales puedes ayudar a incrementar tu autoconfianza al familiarizarte contigo mismo y manteniéndote inspirado para ser continuamente consiente de tus metas y descartando pensamientos negativos sobre ti mismo. Al final, a medida que creas y desarrollas un entendimiento sobre ti mismo, tu autoconfianza y autoestima se fortalecerán. En poco tiempo, serás de motivación a otros. Esto alimentara tus afirmaciones positivas a ti mismo y habrás olvidado los tiempos en el pasado cuando necesitabas autoconfianza. ¡Esta es la autoconfianza en pocas palabras!

¿Cuáles son tus valores? Como definirlos y vivir por ellos

Vivir por tus valores suena fácil, desde una perspectiva profesional. Tus valores, considerando todas las cosas, son las cosas que son importantes para ti en tu vida, así que es razonable vivir por ellos.

AUTOACEPTACIÓN: EL AMOR HACIA TI MISMO

La autoaceptación es una cualidad muy amplia para ser expresada solo en palabras. Debe verse en el tipo de sentimientos, en el tipo de emociones, y más importante, en tu voz interna. Un individuo que tiene esa voz emocional presente se acepta a sí mismo. Escuchar tu voz interna no es un fenómeno relacionado ni una habilidad misteriosa; es precisamente lo que tu alma te dice cuando enfrentas circunstancias terribles o excelentes.

Como Sean Max Dims establece "Deberías avanzar, esta es una pieza de la humanidad". La autoaceptación no es heredada ni es la espada que puede ser sacada de la piedra, debe ser enseñada y, eso, puede originarse de un corazón puro.

El camino hace la autoaceptación es sencillo, por largo que sea, ya que la autoaceptación se gana con esfuerzo. Puedes usar los siguientes procedimientos para asistirte con encontrar el camino; sin embargo, recuerda que no tu viaje hacia la autoaceptación es todo tuyo.

1. **Acepta que puedes reconocerte a ti mismo:** Una convicción firme es un trampolín ideal; si pones tus valores en algo, entonces nadie puede prevenirte de hacerlo.

2. **Entiende el significado de la autoaceptación y pon a un lado las entusiastas restricciones como la angustia y el dolor:** Estos son pasos en el camino del logro.

3. **Aceptación de ti mismo y de tu pasado:** No corras de tu pasado o intentes cambiarlo. Ya pasó, y no hay forma de cambiarlo. Lo que puedes hacer es aceptarlo y trabajar en el presente.

4. **El reconocimiento de tu imprudencia y equivocaciones es la cereza del pastel:** Un individuo con algo de apoyo está por encima de aquel que no puede lidiar con sus defectos.

5. **Descifra como enfrentar las cosas, no importa si son de tu pasado o de tu presente:** Esto hará tu futuro valioso para vivirlo al máximo.

6. **Amate a ti mismo, al final del día, necesitas vivir por ti mismo:** Tu vida puede ser satisfactoria cuando te reconocer a ti mismo, o puede ser horrible cuando te sientes continuamente abrumado.

7. **Permítete recuperarte:** Si no te das a ti mismo esa aprobación entonces siempre serás incapaz de reconocerte.

8. **Reconoce tus sentimientos:** Estos son perlas en la corona llamada vida. Debemos iluminar nuestra vida con estos maravillosamente.

9. **Llena tu vida con vida con guía positiva:** Descifra como amarte a ti mismo, amar a otros, deja ir tu equipaje y vuélvete un amigo cercano de un "yo" más ligero y alegre. Esto consecuentemente desarrollará un comportamiento positivo.

10. La contemplación puede ser una ayuda significativa durante el tiempo en que construyes tu autoaceptación: Tomar tiempo para relajarte y entenderte ayuda a cultivar la autoaceptación.

Estos son solo unos pocos métodos, el sentimiento genuino está dentro de ti. Tu risa es solo un movimiento; la grandeza está en tu corazón. La vida es meramente un inflable hecho de elástico sosteniendo tus puntos de costura, y tú eres el aire dentro, dándole forma.

Aprende algo para recordarte a ti mismo: tú eres simplemente el único que puede ver dentro de ti. Nadie más puede mostrar cómo es tu identidad. Comienza con la autoaceptación y este mundo se convertirá en un hermoso lugar para vivir.

Los individuos algunas veces están confundidos por los diferentes términos, así que comenzaré definiendo los que yo uso. Como el nombre sugiere, la autoaceptación consiste en aceptarte a ti mismo como eres; estar en paz contigo mismo, con cada uno de tus dones y cualidades y con tus defectos y fallas. Es un término que abarca más que la autoestima, la cual elude a cuanto nos vemos a nosotros mismos y creemos en notros para ser significativos y valiosos. Por otro lado, la autoconfianza, alude a que tan seguro estas dentro de tus límites. Si estás seguro de ti mismo, probablemente funcionares bien. Esto similarmente aplica a tener confianza en tu apariencia e inteligencia.

AUTOACEPTACIÓN

La autoaceptación está estrechamente relacionada con la "autoimagen". Esta es la imagen que has desarrollado sobre qué tan amable, exitoso, habilidosos o que tan desafortunado y terrible eres. Es una imagen que ha sido desarrollada a lo largo de tu vida, un modelo que depende principalmente de tus éxitos y de tus fallas. El paso inicial, en este camino, para aumentar tu autoaceptación, es mejorar tu autoimagen y necesitas cambiar como piensas de tu mismo (trato sobre esto en un artículo diferente).

Además de mejorar tu autoimagen, la cosa significativa que tienes que hacer es aprender a reconocerte a ti mismo como eres, con cada una de tus faltas. Una porción de tus faltas, defectos y demás, pueden ser cambiados y tú debes intentar transformarlos, sin importar el momento, necesitas reconocerlos. Muchas personas sienten que son excesivamente delgadas, excesivamente gordas, excesivamente bajas, no lo suficientemente interesadas, que tienen orejas que son muy grandes o que necesitan más cabello. Es importante no sentirte avergonzado si tienes un defecto de este tipo; en muchos casos, estas son cosas con las que fuiste traído al mundo y que no puedes cambiar. No necesitas ser perfecto, y en realidad, nadie lo es. Repítete a ti mismo: "No soy perfecto. ¿Y qué? Nadie lo es. Haré lo mejor con lo que tengo".

Para ponerlo sencillo, reconócete a tu mismo. Actúa naturalmente. Y la razón significativa detrás del porque hacer esto es porque tu felicidad y tu éxito depende en un enorme grado de tu autoaceptación. Es difícil ser genuinamente feliz o exitoso sin autoaceptación. Así que, renuncia a tratar de ser perfecto; considérate a ti mismo por lo que eres. Esto no significa que no deberías mejorarte de tal manera para desarrollarte en todas las formas posibles: deberías.

Tus compañeros y asociados afectaran profundamente tu autoaceptación y autoestima. Cuando aceptas que ellos tienen una alta opinión sobre ti, tu autoaceptación y tu autoestima crecerán. Por otro lado, si piensas que ellos tienen una baja opinión sobre ti, tu autoaceptación típicamente se desplomará. Es esencial asegurarte que esto no ocurre. De esta forma, no te estreses sobre lo que otros piensan; en muchos casos, estas equivocado. Además, es esencial recordar que nadie puede hacerte sentir mal sobre ti mismo, excepto si tú los dejas. Los individuos regularmente hacen comentarios que no hirientes a otros sin percatarse de ello (y a veces lo hacen deliberadamente). Intenta no prestarles atención. Nadie tiene ningún control sobre cómo te sientes sobre ti mismo, a menos que lo permitas. Averigua cómo ignorarlos.

Tal vez el enfoque ideal para aumentar tu autoaceptación y tu autoestima es sentarte y enlistar tus logros. Podrás pensar que no tienes muchos, sin embargo, te sorprenderías. Piensa en las metas que las logrado, los honores que has recibido, los largos años de escuela o universidad que has terminado. Piensa en tus logros en el trabajo y considera tus otros intereses y así. Míralos cuando terminas. Invierte en ellos a medida que piensas en estos.

Consejos para incrementar tu autoaceptación

- No intentes deslumbrar a las personas.
- Concéntrate en las cosas positivas de tu vida. Dales la bienvenida.
- No ignoras tus deficiencias o defectos, reconócelos. Intenta no estresarte por ellos, sin embargo, deberías decirte a ti mismo que trabajará para superar cualquiera que pueda ser superado.
- Escoge un buen ejemplo, alguien que respetes y admires, e imita sus cosas buenas.
- Ten metas. Lograr metas consistentemente te hace sentir mejor.
- No pongas excusas; no acuses a otros todo el tiempo y no te quejes
- Aprende de tus errores.
- Revive tus "buenos momentos" (en tu memoria) ocasionalmente. Piensa en tu don único.
- Recuera que todos tienen cosas que no les gustan sobre si mismos. No eres el único.
- Cuando comiences a estresarte sobre algo que no te gusta de ti mismo, repítete "Nadie es ideal. No soy perfecto, sin

embargo, tampoco lo es cualquier otra persona. Solo soy un individuo".

AUTOCONFIANZA

Como mencione al inicio del libro, la autoconfianza tiene que ver con que tan seguro estas en tus responsabilidades. Es sobre como crees en llevar las responsabilidades que tienes. Y es adicionalmente sobre qué tan seguro estas en tu apariencia. Los individuos seguros de sí mismos se dan seguridad a sí mismos; están seguros que será capaces de hacer lo que se espera de ellos y hacerlo bien. Puede no ser algo que abraque todas las áreas de sus vidas. Un gran número de personas son positivas sobre ciertas áreas, sin embargo, no tan seguras sobre otras. Por ejemplo, pueden ser habilidosos y precisos en un juego especifico, sin embargo, tienen poca capacidad o confianza para dirigirse a un grupo de personas. Es esencial tomar nota de que la confianza no se identifica con la capacidad. Unas pocas personas con habilidades impresionantes habilidades en una zona en específico no se sienten seguras. Es adicionalmente posible tener alta confianza, pero una baja autoestima. Numerosos famosos caen en esta clasificación; varios actores o actrices, por ejemplo, tienen alta confianza en su habilidad para actuar, sin embargo, dependen de medicaciones para soportar el día a día. Los individuos con baja autoconfianza usualmente buscan aprobación regular de otros como ellos mismos. Cuando no la obtienen, entonces pierden confianza. Adicionalmente se denigran la mayoría del tiempo, encuentran difícil reconocer los halagos y esperan no tener éxito.

Como sea, ¿cómo creas autoconfianza (asumiendo que no la tienes)? La falta de confianza suele estar arraigada s largos períodos de sentirse inferior. Probablemente el enfoque ideal es comenzar a preguntarte que es lo que de verdad amas hacer. Si tienes una asignación o un trabajo, es más simple de hacer, y progresivamente te sentirás seguro de hacerlo.

Escribe y haz una lista de las muchas cosas que genuinamente prefieres hacer, y mientras trabajas en ello, haz una lista de tus cualidades. ¿Estas encajan en lo que amas hacer? Si no lo hacen, necesitarás pensar sobre cómo puedes combinarlas. ¿Qué necesitas? ¿Más instrucción? ¿Entrenamiento adicional?

Seguidamente, enfócate en tus cualidades e ignora tus decepciones. Esto no significa que debes construir una imagen desproporcional de ti mismo; significa que debes ser honesto contigo mismo. Debes echar un vistazo a tus capacidades y defectos, pero siempre acentuando lo positivo.

Todos hemos conocido individuos que respetamos, y la mayoría del tiempo, la principal razón por la que los apreciamos es porque están seguros de sí mismos. No es un buen plan intentar copiarlos, sin embargo, puedes aprender de ellos e incorporar una porción de sus mejores atributos en tu personalidad.

Consejos para incrementar tu autoconfianza

- Siempre piensa y actúa positivamente.
- Libérate de cualquier idea negativa tan rápido como puedas.

- Use el diálogo interno y las evidencias para alentarte a ti mismo.

- Las metas son importantes. Lograrlas te dará una autoconfianza poderosa.

- Vístete y péinate bien.

- Debes estar preparado para todas las tareas. Combate la inseguridad al estar bien preparado.

- Continúa aprendiendo y escuchando, no importa si piensas que lo sabes todo.

- Sométete a una autoevaluación de vez en cuando. Evalúate honestamente.

- Sonríe.

- Usa la visualización.

AUTOMOTIVACIÓN Y SU IMPORTANCIA

La automotivación es importante. Hay unas pocas razones por las que la automotivación es crucial en la vida de un individuo. Todos deberían estar personalmente motivados.

Hoy en día, con tan significativo número de dificultados y una gran cantidad de rivalidad que hay que aguantar, la automotivación funciona como un impulso en la confianza. Impulsa nuestro afán y nos da energía para funcionar.

La automotivación es conocida como un factor esencial en tu vida. Si estás buscando el éxito en cualquier aspecto de tu vida, necesitas automotivación. La automotivación asume un trabajo vital en mejorar tu autoestima. Desarrolla un anhelo para lograr algo en la vida. Los especialistas en el pasado han aceptado e incluso demostrado que cuando la automotivación es combinada con autodeterminación, uno puede sin mucho esfuerzo mover montañas y encontrar agua en el desierto.

Hay unas pocas cosas con las que uno puede motivarse. Los individuos obtienen motivación por su fuerte fe en lo divino. Estos pueden ser llevados por un encuentro que han tenido o algún otro factor. Estas cosas simplemente te alientan para cambiar tu punto de vista sobre la vida. Uno puede cambiar a ser un mejor individuo o una excelente persona de negocios con automotivación.

Como regla, los individuos experimentan buenos y malos momentos en sus vidas. Cuando una cosa sale mal, tal vez tengas que ayudarte a ti mismo, tu familia y los individuos a tu alrededor. Esto necesita una buena cantidad de fortaleza dentro de ti. Cuando provees apoyo y aliento a tus seres queridos, deberías estar en tu mejor momento.

Unas pocas personas son afortunadas de tener ayudan en tiempo de emoción. A pesar de eso, algunos son ignorados y requiere un montón de coraje soportar los tiempos difíciles. La ausencia de automotivación en dichos momentos puede ser dañina e incluso hacer tu vida más difícil.

A continuación, se mencionan algunas buenas razones por las cuales requieres automotivación:

- La automotivación es crítica cuando se refiere a aceptar las dificultades y tomar decisiones en la vida.
- La fuerza de la automotivación ayuda a planear tu vida y facilitar las dificultades.
- La automotivación le da otro sentimiento de dirección y curso a tu vida.
- La automotivación es vital para darle energía a tu vida.
- La automotivación te permite llevar una vida plena.

- Puedes comprometerte y alentarte a ti mismo a enfrentar los momentos difíciles y competitivos en la vida con la asistencia de la automotivación.

- La automotivación te llena con vitalidad positiva y aumenta tu energía.

- La automotivación es vital para tu existencia. Te da una personalidad.

La motivación es un tipo de fuerza motora que alienta a un individuo a moverse. Es un tipo de impulso a la autoconfianza y el corazón interno de un individuo. Todo buscamos motivación en la vida. Es prácticamente imposible enfrentar la oposición, hacer progresos o lograr una mete sin motivación.

¿QUÉ ES LA AUTOCONCIENCIA?

En una tesis de doctorado enfocada en este mismo tema, traté de responder a esta pregunta universal. Investigue mucho de los papeles referidos a la materia, y arregle, engrupe y revise todos los modelos y definiciones que existe sobre la autoconciencia. Esta información fue usada para crear un modelo, descripción y cuantificar la autoconciencia. Descubrí algunas cosas emocionantes sobre la autoconciencia. A pesar de que la palabra autoconciencia implica que es sobre el "yo" (autos proviene del griego que significa propio), la autoconciencia es mucho más sobre otros que sobre ti mismo. Sin otros es extremadamente improbable saber cuál es nuestra identidad.

Mi modelo comprende seis procedimientos involucrados en la autoconciencia y cada uno de estos es importante para comenzar a ser progresivamente conscientes de nosotros mismos.

- Conciencia interna y entendimiento.
- Estar listo para permanecer aquí y ahora.
- No ser excesivamente autocríticos.
- Estar listo para percibir lo que les sucede a otros.
- Ser consciente de como otros te ven.
- La capacidad de ponerte límites a ti mismo.

Desarrolle una definición en un intento de tipificar todas las mejores partes de la autoconciencia. "La autoconciencia es un procedimiento que involucra ser dedicados y receptivos a los numerosos tipos de contribuciones creadas tanto por el sistema autónomo nuestro como por los sistemas situados a distancia dentro de los cuales uno es implantado". Aunque es una definición académica, esta definición comprende algunos importantes puntos sobre la autoconciencia. Inicialmente, la autoconciencia es un procedimiento; esto significa que siempre está en movimiento, nunca somos totalmente conscientes de nosotros, es algo que necesitamos mejorar, debemos ser capaces de ello y tenemos que trabajar en ello. Además, muestra que se requiere paridad entre uno mismo y la tierra y esto incluye a los demás; no tan enfocada en uno mismo y no tan enfocada en otros. Esta ecualización incluye arreglárselas con uno mismo; no muy rudamente y no tan delicadamente. Son estos mismos balances con los que los individuos frecuentemente batallan.

En luz de este modelo y definición de autoconciencia, procedí a construir un enfoque para medir la autoconciencia como característica de mi tesis de doctorado. Después de numerosos estudios involucrando cientos de individuos, desarrollé, refiné y aprobé esta nueva medida. Comprende 60 preguntas que pueden ser contestadas en una escala de siete puntos desde "muy a menudo" a "nunca". Es simplemente la clave para legitimar la medida de conciencia.

Este es el tiempo inicial durante el tiempo invertido en volverte progresivamente consciente e identificar cualidades y fallas o puntos ciegos.

"Conócete a ti mismo" fue la aclamada frase sobre el pasaje al santuario del Oráculo en vieja Delphi. Me pregunto qué número de individuos que fue allí a aprender sobre su destino estuvo preocupado sobre la posibilidad de ese anuncio. Ser consciente de uno mismo es la calve inicial para cualquiera que desee lograr una salud persona interna, o un ajuste a sí mismo, en la forma en que son con otros o en lo que desean alcanzar.

En la terapia Gestalt es dicho que uno necesita buena sensación y luego conciencia, en respuesta al marcado interés alrededor del cual uno se reunirá y hará un movimiento. Uno de los organizadores de Gestalt, Fritz Perls dijo que "la conciencia en y de uno mismo es sanadora".

En un nivel, obtenerla empodera a uno a lograr algo diferente la próxima vez, y rendir mejor en lo que uno necesita hacer u obtener una gran cantidad de lo que uno necesita. Muchos estarán contentos con eso. Hay montones de materiales de autoayuda o entrenamiento disponible que puede ayudar también. En otro nivel, ser consciente de uno mismo es una herramienta crucial en la autoayuda y el desarrollo persona, puede transformarte completamente para mejorar cosas y empoderarte a aceptar nuevos dominios para experimentar una calidad de vida atrayente y progresivamente pacífica. Todavía en otro nivel, puedes, si así lo eliges, empoderarte a ti mismo para entrar en el santuario de tu ser, como los meditadores y otros han sabido por cientos de años.

Un comentario común dado en respuesta a individuos siendo considerados para ascenderlos en tus trabajos es: "La persona es fenomenal, sin embargo, necesita autoconciencia". Sobre las relaciones perturbadas, es regularmente comentado que una pareja parece ser incapaz de identificar la parte que juega cada uno en los choques que experimentan debido a la ausencia de autoconciencia que cada uno tiene de su compromiso sobre lo que pasa. Cuando experimentamos dificultades al lidiar con otros, si necesitamos autoconciencia, probablemente no notaremos lo que sucede que desencadena el sentimiento incomodo, y de esta forma, necesitará acceso a información esencial, memorias, encuentros pasados, entre otros, que pueden influenciar como y porque el fenómeno es experimentado.

Cuando tenemos autoconciencia, podemos tener un sistema crucial para notar lo que sucede dentro de nosotros. Cuando nos volvemos conscientes de nosotros mismos, podemos asumir responsabilidad, podemos comenzar a tomar decisiones y podemos encargarnos de negocios. Puedes lidiar con nuestro estado interno para mejorar cosas. No en vano Daniel Goldman en "Inteligencia Apasionada" identificó la autoconciencia y el autodominio como dos de las áreas claves para uno conseguir más inteligencia.

Cuando originalmente escogí lograr un genuino trabajo en mí mismo, mi realidad fue una de conflicto con otros. Lo que me decían era que era peleador en el trabajo, intolerante e impaciente con otros. En mi mismo me sentía burbujeante con estrés… verdaderamente. Y mi matrimonio estaba acabado, mi madre había fallecido, era un padre soltero y tenía dificultades para encontrar a alguien más. Era probablemente alguien con quien era extremadamente vivir. Tal vez el problema soy yo. Cuando me embarqué al comienzo en una progresión de programas de desarrollo persona, una libertad significativa para mí fue cuando me encontré con la autoconciencia. De la nada, tenía una manera de ver lo que estaba pasando en mí, como me sentía por dentro y que sentimientos y pensamientos seguían creciente en mí que no me ayudaban. En ese punto, podía verdaderamente comenzar a cambiar las cosas.

La excelencia y el enigma sobre la autoconciencia es que es tan básica y da evidencia de uno mismo. Sea como sea, mientras la usemos para lidiar con nuestra supervivencia del día a día, pensando en nosotros mismos, no la usamos para trabajo interno. La disposición juvenil de la autoimagen para soportar y adaptarnos en un mundo aparentemente peligroso implica que removemos los efectos en nosotros y nuestros sentimientos; nos cerramos al sistema que puede ayudarnos a mejorar las cosas. Junto con estas líneas, para honestamente usar la autoconciencia debemos reconocer que vemos a conectar y a desconectarnos de esos sentimientos incomodos dentro nuestro, y esos pensamientos que no nos importa confrontar. Esta es la razón por la que desarrolla autoconciencia es típicamente mejor tratado con guía experta, una que se ha entrenado a sí misma en esta aptitud, en programas, con un mentor o tutor e incluso un defensor o asesor. Esta es la nota preventiva: Es importante lidiar contigo mismo y buscar guía si es necesario. En ese punto, puedes usar los instrumentos también. Es voltear la realidad con respecto a nosotros mismos.

Para ser consciente debes entrenarte a ti mismo para volverte adepto en observar y monitorear tu estado interno. Averigua como cuidar de tu cuerpo mentalmente, escaneando cada apéndice y musculo, sintiendo tu cuerpo y preguntándole a tu cuerpo como se siente y de donde viene ese sentimiento. Ganarás al aprender a identificar e ignorar sentimientos que encuentres incomodos. Eso en sí mismo es una habilidad, y puedes comenzar a ver los pensamientos que tienes, esos pensamientos que son renovados contantemente y que aprendes que no te sirven. Puedes grabarlos, hablar sobre ellos, pensar sobre ellos, reflexionar en ellos, confrontarlos, retarlos y dejarlos ir también. Estos son un resultado del sentido del "yo", un "yo" restringido, lo que ciertamente no somos.

Al hacer esto, tienes la oportunidad de ver tus ideas de sentimientos, pensamientos y comportamientos que no son útiles en este punto y entonces puedes decidir eliminarlos. Ese es el trabajo interno del que estoy hablando.

AFIRMACIONES POSITIVAS PARA LA AUTOESTIMA

¿Funcionan las afirmaciones? ¿Serías capaz de usar las afirmaciones para positivamente traer un cambio a tu vida? ¿Serías capaz de usar afirmaciones para la autoestima? Para entender, necesitamos inicialmente entender su conexión con nuestra mentalidad.

Tienes la opción de escoger una larga lista de afirmaciones de la red, pero no muchos individuos se dan cuenta que solo son útiles si están sincronizadas con la positividad de la mente, o, lo más probable es que solo brinden impactos negativos.

De acuerdo con Abraham Hicks, el pionero de la Ley de Atracción, inicialmente necesitas entrar en el vórtice. Porque hasta que no entres en el vórtice, hasta que no uses los apoyos positivos para la autoestima, hasta que no estés en una condición de entendimiento, tu mente no tendrá la opinión para reconocer tus afirmaciones.

Aquí hay 4 técnicas básicas que puedes seguir para usar afirmaciones positivas para la autoestima:

1. **Entra en el vórtice:** Entrar en vórtice implica entrar en una condición de felicidad y en sintonía con tus necesidades. Puedes hacer eso efectivamente para crear registros. Toma un bolígrafo y un papel y escribe de 10 a 20 de las mejores

características de ti mismo. Haz una lista de los lados positivos de una circunstancia. A medida que enlistas, tu cualidad de sentirte bien aumentará y en alrededor de 60 minutos, tendrás la opción de entrar en el vórtice fácilmente.

2. **Experimenta el sentirse bien:** La mejor parte es esta. Entrar en el vórtice se siente mejor. Entrar en el vórtice por si solo mejora tu autoestima. Esto es porque todo a tu alrededor es una afirmación. Cuando haces una lista de tus mejores características, tranquilamente afirmas que necesitas estar seguro.

A partir de hoy, renuncia a pensar en las afirmaciones como oraciones. Piensa en ellas programación integral. Todos y cada uno de los segundos en tu vida es un testimonio de la mente interior. Estas programándote a ti mismo cada segundo.

3. **Usa afirmaciones confidentemente:** Ahora, cuando sientas la felicidad de estar en una condición positiva, tu psique resultar estar cada vez más abierto a la positividad de las afirmaciones. Debes simplemente continuar confirmando esas afirmaciones en tu estado mental positivo.

4. **Crea la autoestima:** Si puedes seguir los pasos de arriba sin ningún problema, entonces no necesitarás seguir esta progresión porque usarás las afirmaciones para la autoestima sin ninguna dificultad.

Las afirmaciones positivas son instrumentos prácticos y útiles para mejorar la autoestima porque esas afirmaciones son energías positivas e inconfundibles que, al redirigir tus pensamientos, pueden cambiar tus sentimientos. Tal vez no lo hayas reconocido, sin embargo, las cosas que te permites saber y las convicciones que tienes sobre ti mismo contribuyen a una forma positiva a tu autoestima. Si estas sintiéndote inadecuado y débil, probablemente aceptes que así eres tú, y probablemente muy pronto tus convicciones se volverán realidad. De la misma forma, puedes incrementar tu autoestima al trabajar en cambios a tu dialogo interno y tus convicciones esenciales sobre ti mismo.

Es difícil pensar bien sobre ti mismo cuando continuamente abusas de ti. Como una grabación horrible, la voz interna de tu consciencia continuamente te da criticas subliminales, y si la programas con pensamientos negativos, continuará diciendo que rara vez eres los suficientemente bueno y socavando tu autoestima. Aun así, con determinación, pueden aquietar las vibras negativas con palabras positivas, ayudando a mejorar grandemente tu autoestima.

Usar afirmaciones positivas para mejorar la autoestima causa que conserves tu autocontrol y luchas contra el clamor interno negativo. Es aceptado que las creencias combinan las energías de las mentes conscientes y subliminales para ayudar a alcanzar una meta.

Aquí hay algunas afirmaciones positivas que puedes usar para ayudar a mejorar la autoestima:

- Soy una persona importante y significativa, y tengo el derecho de ser apreciado por otros.

- Estoy interesado en experimentar un mayor grado de autoestima. Soy merecedor de ello y lo voy a lograr.

- Estoy seguro sobre la vida; en todos los casos, anhelo y aprecio los nuevos desafíos.

- Soy un individuo único y soy un individuo creativo.

- A medida que desarrollo mi autoestima, descanso tranquilo pensando sobre mí mismo, mi trabajo, mis relaciones y cada parte de mi vida.

- Soy completamente responsable de mi vida y la llevo de manera lucrativa.

- Hago un esfuerzo para familiarizarme mejor conmigo mismo y me dirijo a mí mismo con deferencia.

- Me siento importante independientemente de si soy consciente de que he cometido un error.

- Soy una persona activa, defino mis necesidades y hago las cosas por turno.

- Tomo los cumplidos sin duda y se los doy rápidamente a otras personas.

Mejorar la autoestima es un proceso funcional y continuo. Establece estos sentimientos positivos cada día y ve la diferencia que pueden hacer por tu vida.

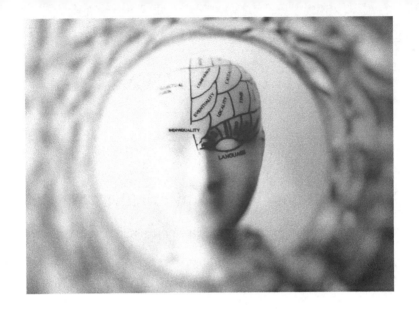

AFIRMACIONES SUBLIMINALES SOBRE LA AUTOESTIMA

¿Qué son afirmaciones subliminales?

Cuando tienes un montón de pensamientos negativos y discusión propia alrededor de tu mente, una forma de deshacerse de ello es usar afirmaciones. Hay dos tipos de afirmaciones: afirmaciones subliminales y afirmaciones regulares. Tanto las subliminales como las regulares son nada más que palabras básicas optimistas (como "Estoy saludable", "Soy hermosa", "Estoy feliz", "Estoy confiado", "Me siento bien", "Puedo hacer este trabajo", "Voy a tener éxito", entre otros) que te dices y escuchas una y otra vez hasta reescribir los pensamientos negativos de tu mente y dialogo interno. Hay una gran diferencia entre las dos.

Y así es como las traes a tu cerebro. Aunque tu mente consciente recibe las afirmaciones regulares, las afirmaciones subliminales son enviadas directamente a tu mente subconsciente. Estas son consideradas más poderosas que las afirmaciones regulares porque estas últimas pueden ser ignoradas u olvidadas.

¿Cómo son enviadas las afirmaciones subliminales a tu mente subconsciente?

Las afirmaciones subliminales son transmitidas por audio de una afirmación grabada con tu voz a tu mente subconsciente y reproducida a un muy alto volumen así no mente consciente no pueda oírlas. A menudo las afirmaciones subliminales están mezcladas con los sonidos que usas para meditaciones y son reproducidos en el fondo así tu mente subconsciente recibe las poderosas afirmaciones cuando te relajas mientras escuchas los sonidos de meditación.

Puedes enviar mensajes subliminales de cualquier tipo a tu mente subconsciente. Por ejemplo, "Me siento feliz", "Me siento cómodo", "Ciertamente voy a resolver el problema", "Logrará las metas de mi vida", "Puedo hacer esa tarea sin esfuerzo", entre otros.

¿Por qué necesitas afirmaciones positivas para la autoestima? Para entender esto totalmente, necesitamos entender lo que es la autoestima y cuáles son las razones para la baja autoestima. Una vez comprendamos las razones, podemos trabajar nuestro camino con la lista de autoafirmaciones positivas para impulsar la autoestima.

La prueba de que las afirmaciones funcionan

Esta práctica no es más una hipótesis. Investigadores líderes en el tema e institutos por igual han investigado y validado la misma.

En un estudio, un conjunto de estudios publicados sugirió que al final del semestre, una breve actividad de autoafirmación al comienzo del término escolar podía impulsar el promedio de grado académico en niños de bajo rendimiento, esto según Creswell, un profesor asistente de psicología en la Universidad de Carnegie Melon.

La corriente médica también ha establecido que nuestro cerebro continúa produciendo nuevas neuronas a lo largo de nuestras vidas y es llamado neuroplasticidad, la capacidad de reorganizar nuestro cableado interno.

Esto significa que para cambiar nunca es tarde. Podemos adoptar nuevas habilidades, cambiar viejas costumbre y crear nuevas. Con nuevas creencias, volveremos a cablear nuestro cerebro.

¿Cómo las sugestiones desde la infancia dañan la autoestima?

Desde nuestra infancia, hemos estado recibiendo aportes y sugestiones de nuestro amigos, familiares, profesores y parientes. Nuestras creencias y valores son el resultado de una confluencia de sugestiones por la gente a nuestro alrededor.

Un resultado directo de lo que vemos a nuestro alrededor es nuestro estilo de vestir, hábitos alimenticios, la idea religión e incluso nuestro valor propio.

Incidentes específicos que nos ocurrieron a una edad temprana afectan como nos sentimos sobre nosotros mismos y como percibimos nuestro valor propio.

Nuestras percepciones negativas y desamparadoras en nuestro subconsciente son el resultado de estas ideas profundamente enraizadas. Pero estas pueden ser reprogramadas al adoptar las afirmaciones positivas para la autoestima.

Charlas negativas comunes

Mantente atento a algunas de las charlas negativas comunes que hacemos casualmente:

"Mi vida es un desastre", "No me veo bien", "Nunca voy a perder peso", "Todos me odian", "Estoy atascado en mi vida", "Odio a mi gerente", "Estoy cubierto en deudas", "Odio mi trabajo", "No soy lo suficientemente capaz".

¿Te suenan familiares estas sentencias?

La gente hace un uso muy casual de dichas frases sin darse cuenta del daño catastrófico que causan en sus vidas.

Reconócelos si encuentras estos sentimientos negativos atormentándote y conviértelos en afirmaciones positivas.

- "Estoy siendo llevado por lo divino, estoy donde debería estar".
- "Mi vida es un regalo fantástico y voy a disfrutarla".
- "Me veo genial y mi sonrisa es el estilo perfecto".

- "Tengo control total sobre lo que como".
- "Mi cuerpo es sagrado y lo mantendré limpio y en forma".
- "Mi trabajo me ofrece estabilidad financiera lo cual mi familia necesita".
- "Amo lo que hago".
- "Hago lo que soy bueno".
- "Soy el mejor en lo que hago".
- "Estoy bendecido con abundancia financiera".

¿Cómo funcionan las autoafirmaciones?

Investigaciones a fondo y estudios han mostrado que eventualmente comienzas a construir un sentido de creencia en esas palabras al repetir las afirmaciones muchas veces al día.

Escuchas lo que hablas, crees cuando estuchas, cuando repites esto es suficiente, un nuevo camino neuronal es creado para las creencias recién descubiertas.

Párate frente a un espejo, repite las afirmaciones mientras te miras a los ojos. Tus ojos reflejan la fuerza de tu alma.

Es el cómo reprogramas tu subconsciente con nuevos valores motivacionales lo que mejora tu autoestima y altera la forma en que te comportas.

Lista de afirmaciones positivas para la autoestima

Toma ventaja de la siguiente lista de afirmaciones positivas para la autoestima:

- "Me amo a mi mismo y me acepto como soy".
- "Irradio y recibo respeto y amor".
- "Donde quiera que voy, soy amado y valorado".
- "Soy único en mis habilidades y talentos y no necesito validación de otros".
- "Las personas encuentran valor en mis servicios y soy graciosamente recompensado".
- "Soy autosuficiente, persistente y creativo en todo lo que hago.".
- "Merezco algo positivo".
- "Estoy agradecido por todas las cosas increíbles en mi vida".
- "Estoy lleno de pensamientos amorosos, positivos, prósperos y saludables, lo cual eventualmente se transformarán en experiencias en mi vida".
- "Soy único y mis aspiraciones y sueños son únicos para mí. No necesito probarme a mí mismo a nadie".
- "Me impulsa la solución. Cada desafío representa una oportunidad para desarrollarme".
- "Nunca estoy solo en la búsqueda del éxito. El universo me apoya de maneras inesperadas y esperadas.".

- "No soy un prisionero del pasado y solo vivo el momento.".

- "Estoy viviendo la vida al máximo".

- "No soy un árbol y tengo la capacidad de cambiarme a mí mismo como mejor me parezca".

- "Tengo la responsabilidad total al tomar mis decisiones y hacer mis elecciones.".

- "No soy egoísta al poner mis intereses en primer lugar".

- "Cada momento nos da una opción y no importa cuáles sean mis circunstancias, elijo la felicidad".

- "Soy flexible y abierto a nuevas experiencias".

- "Espero lo mejor al pensar positivamente".

- "Soy consciente de mi fuerza y actúo con confianza".

- "Puedo identificar y actuar sobre mi rango de habilidades".

- "La vida es hermosa y gratificante".

- "El universo me bendice con abundancia, felicidad y salud".

- "Aprecio lo que obtengo. Me regocijo en el amor que recibo".

- "Soy valiente. Mis ojos reflejan la fuerza de mi alma".

- "Soy optimista y positivo. El mundo conspira para hacerme triunfar".

- "Me apasiona lo que hago y el entusiasmo en mi trabajo lo refleja".

- "Atraigo gente positiva a mi vida".

- "Estoy abierto a conocer gente y desarrollar relaciones positivas y de apoyo".

- "Irradio amor e inspiro a las personas".

- "Soy pacífico y calmado".

- "Me tomo mi tiempo para apreciar y disfrutar las alegrías de la vida".

- "Estoy completamente a cargo de mi destino y en total armonía con el Universo".

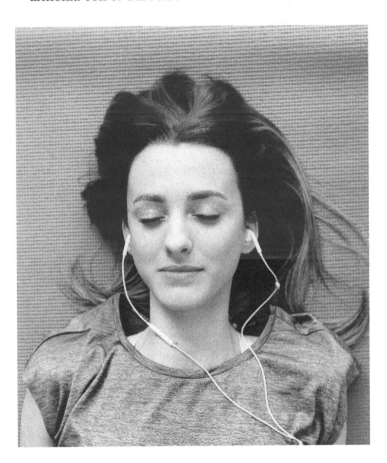

CONCLUSIÓN

El éxito en lo que sea que hagamos en la vida está relacionado directamente con la cantidad de confianza que tengamos en nosotros mismos. Falta de autoconfianza en uno mismo o la baja autoestima nos aleja de lograr nuestro máximo potencial en la vida, lo que nos aleja de disfrutar la vida completamente.

Debajo hay 6 formas que están demostradas para asistirte con incrementar tu autoestima y tu autoconfianza:

1. **Rodéate de personas positivas:** La forma principal en que puedes comenzar a descansar fácil pensando sobre ti mismo es si todos a tu alrededor de ti sienten positivamente también. Si estas constantemente alrededor de personas que te humillan o cuestionan tus acciones, no tendrás un ejemplo positivo al que mirar. Deja que la felicidad te rodee y comenzaras a volverse parte de tu personalidad.

2. **Comienza un diario:** Escribir tus más profundos deseos puede ser importante. Lee a través de ello regularmente y recuérdate que eres capaz de lograr lo que sea en que pongas tu mirada. Si tienes obstáculos en el camino de tu mejorar tu nivel de confianza, anótalos con el objetivo de que los conozcas y esto pueda ayudar a superarlos.

3. **Usa afirmaciones positivas acertadamente:** Repetir afirmaciones positivas es tal vez la mejor estrategia para incrementar la confianza y la autoestima. Repite afirmaciones por 7 o 10 minutos alrededor de la tarde, no mucho antes de que te vayas a la cama, o cuando te despiertes en la mañana; en estos momentos tu mente subconsciente esta cada más más abierta a recibirlas.

4. **Toma clases de oratoria:** Muchas personas que tienen baja autoestima también odian hablar en público. Enlístate en un curso de oratoria para salir de tu zona de confort. Aprenderás un montón de consejos valiosos en la mejor forma para superar tu miedo a hablar en reuniones y como hablar de lo que sea. Cuando estés cómodo hablando con las personas, esto se verá y más personas querrán escuchar o que tienes que decir.

5. **Actúa según tu motivación:** Si no sabes cuál es tu razón en la vida entonces encuentra una. Entonces, haz una sola cosa en línea con esta razón, y te garantizamos que mejorarás como te sientes sobre ti mismo e incrementarás tu autoestima y confianza.

6. **Programa tu mente subconsciente para el éxito:** Para permitirte incrementar tu autoestima y autoconfianza tienes que cambiar tus procesos de pensamiento. Tanto tu consciente como tu subconsciente pueden afectar tu autoestima. Programa tu mente, así tus pensamientos conscientes y subconscientes se volverán progresivamente

más positivos. Hay muchos programas de autoayuda que pueden ayudarte a lograr esto.

9 781802 349498